這本遊戲書是

的

作法

撕下內頁，依照指示摺出獨特又有趣的東南西北遊戲。有些頁面已經有完整的內容，你可以學到關於野生動植物的奇妙知識；有些頁面則是滿滿的問題等著你回答，測試你對野生動植物了解多少；還有幾頁什麼也沒寫，就交給你寫出你知道的小常識吧！

1. 撕下書頁。
2. 沿對角線對摺後展開。
3. 另一邊的對角線也對摺。
4. 展開後翻面。
5. 四個角向中心往內摺。

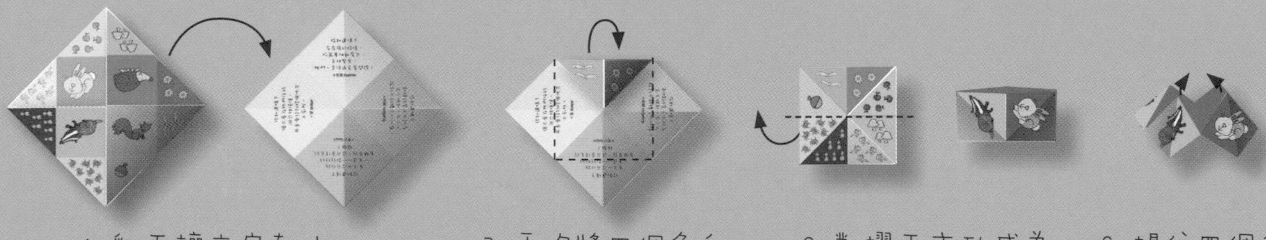

6. 翻面讓文字朝上。
7. 再次將四個角向中心往內摺。
8. 對摺正方形成為長方形。
9. 捏住四個角，使它們聚合在一起。

10. 雙手的拇指和食指分別套進四個蓋口。

怎麼玩東南西北：

1. 請朋友從1~10中挑選一個數字。
2. 數字代表手指開合東南西北的次數。
3. 讓朋友看看東南西北的內側，然後從中選出一個圖案。
4. 算一算相同的圖案共有幾個，數量代表手指開合東南西北的次數。
5. 結束的時候，請朋友再選一個圖案。
6. 翻開蓋口，看看底下的隨機知識寫了什麼。
7. 挑另一個圖案，再玩一次。

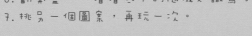

以下的東南西北摺紙遊戲有豐富的內容，
動動手指，撕下來、摺一摺，
一起發掘各種動植物的有趣知識！

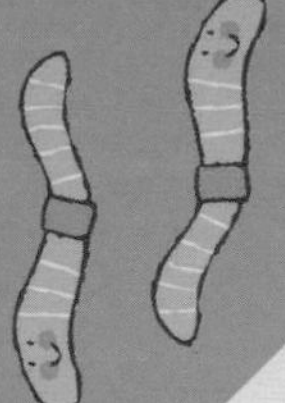

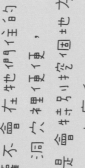

你知道嗎？

有危險的時候，
松鼠會抽動尾巴，
互相警告。
牠們一定很適合當間諜！

＊松鼠 Squirrel

你知道嗎？

刺蝟的背上大約有
五千根刺。不小心
踩到可就糟了——痛！

＊刺蝟 Hedgehog

你知道嗎？

獾不會在牠們住的
洞穴裡便便，
而是會特別挖個地方
上廁所。

＊獾 Badger

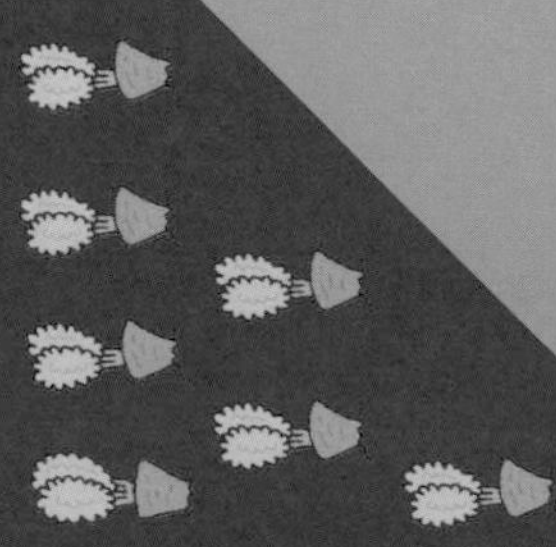

你知道嗎？

兔子一次可以跳
一米遠——對矮矮的
兔腿來說，這可是很長的
距離！

＊兔子 Rabbit

你知道嗎？

狐狸會把吃剩的食物藏起來，晚點再回來享用。午夜時分的一頓野外盛宴！

＊狐狸 Fox

你知道嗎？

小鹿喜歡嚐可口的葉子。牠們會在晚上悄悄溜進花園裡吃掉植物！

＊小鹿（狍）Roe deer

你知道嗎？

刺蝟的鬍鬚非常重要——為了找蛞蝓和蟲子來吃。

＊刺蝟 Hedgehog

你知道嗎？

青蛙在夏天時能吃多少就吃多少，可以為接下來比較冷的月份貯存一些食物起來。

＊青蛙 Frog

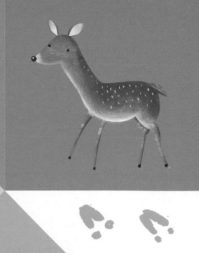

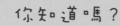

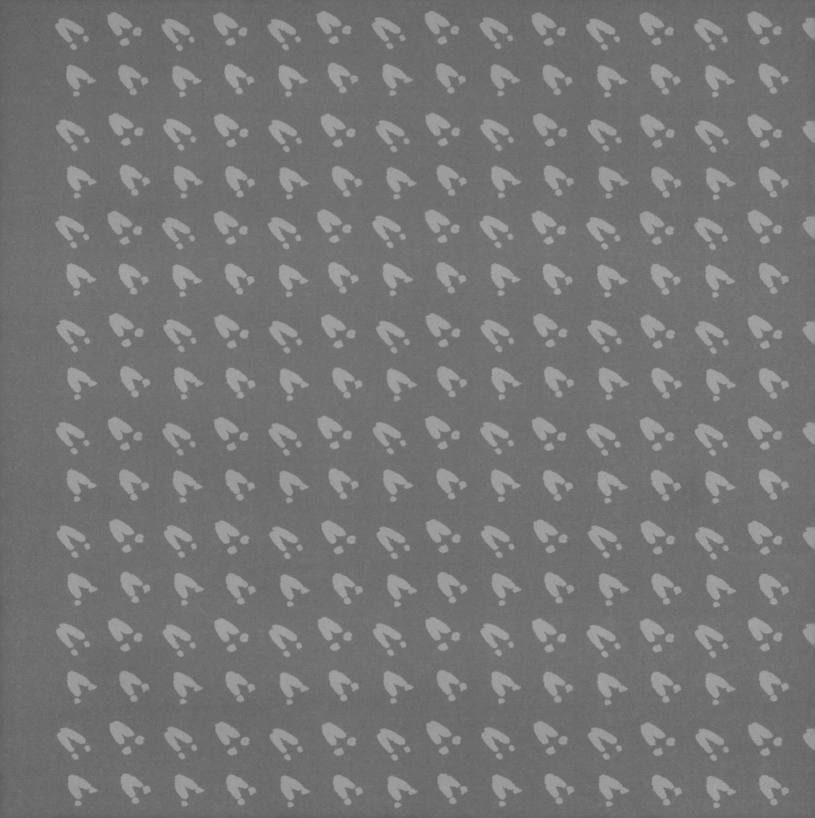

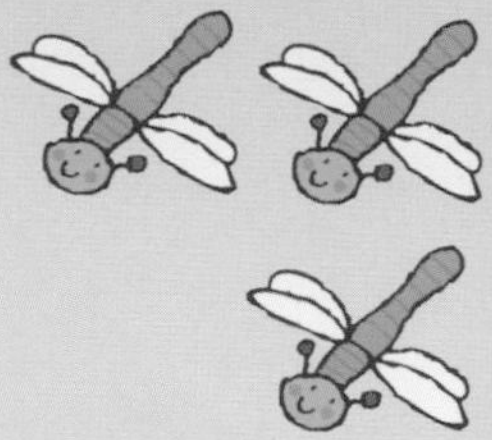

你知道嗎？

紅狐的動作超級快，
一小時可以跑將近
48公里！

*紅狐 Red fox

你知道嗎？

歐洲野兔一小時
可以跑將近72公里！

*歐洲野兔 Brown hare

你知道嗎？

鼴鼠挖起洞來速度很快，
不到一小時就能挖出超過
四公尺長的地下隧道。

*鼴鼠 Mole

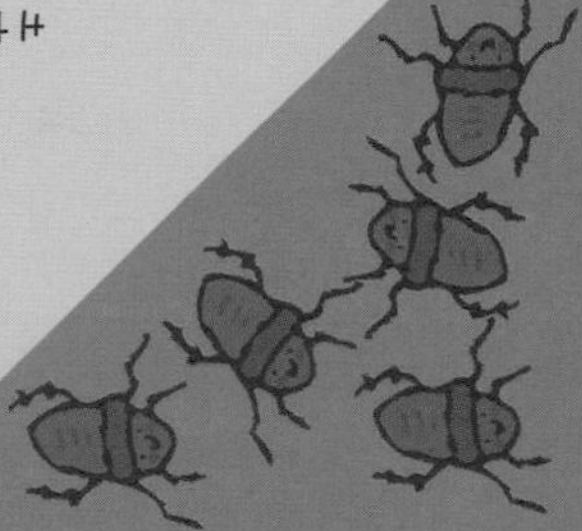

你知道嗎？

老鼠雖然小小一隻，
卻可以跑得跟成人一樣快。
不過這速度只是
維持短短的距離。

*老鼠 Mouse

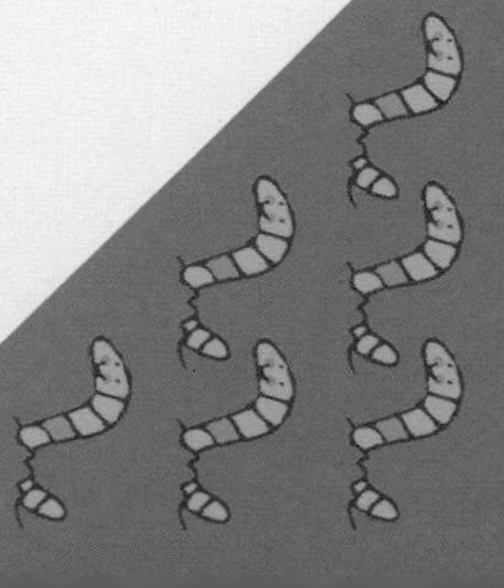

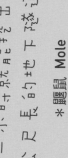

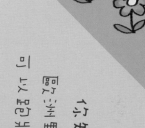

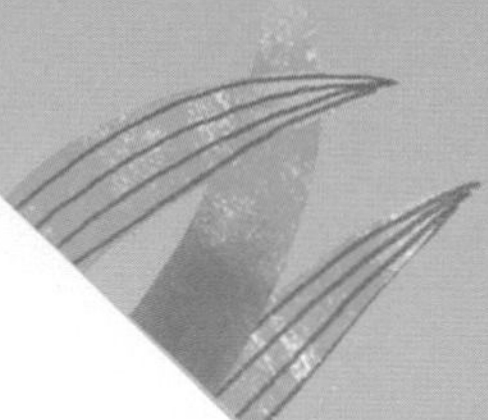

你知道嗎？

蜜蜂可以在不傳播花粉的情況下，從藍鈴花吸取花蜜。

＊蜜蜂 Bee

＊藍鈴花 Bluebell

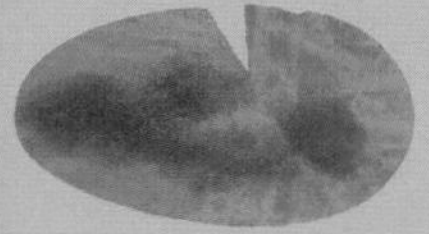

你知道嗎？

樹幹周圍的蠟狀外層有保存水分的功用。

＊樹幹 Trunk

你知道嗎？

熊蔥的葉子和花都可以吃，煮成湯或燉菜都很美味！

＊熊蔥 Wild garlic

你知道嗎？

草甸碎米薺是紅襟粉蝶幼蟲最喜愛的食物之一。

＊草甸碎米薺 Cuckooflower

＊紅襟粉蝶 Orange-tip butterfly

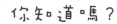

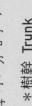

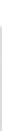

你知道嗎？

報春花有兩種不同
類型的花，分別是
長花柱型和短花柱型。

*報春花 Primrose

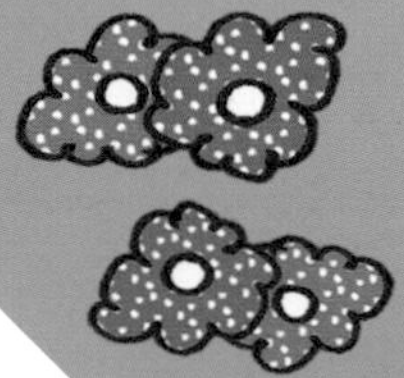
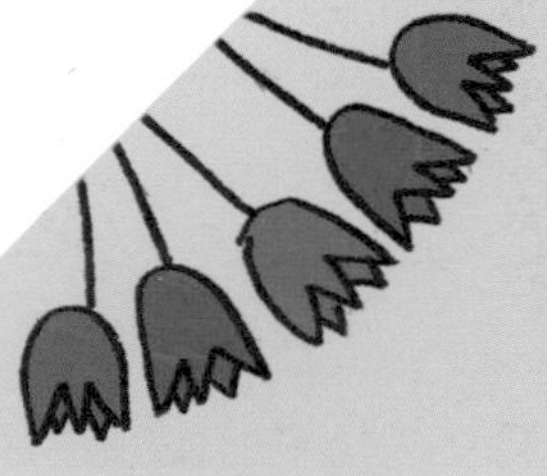

你知道嗎？

田野中的罌粟花
開始生長的時候，
就表示這片土地也
準備好栽種作物了。

*罌粟花 Poppy

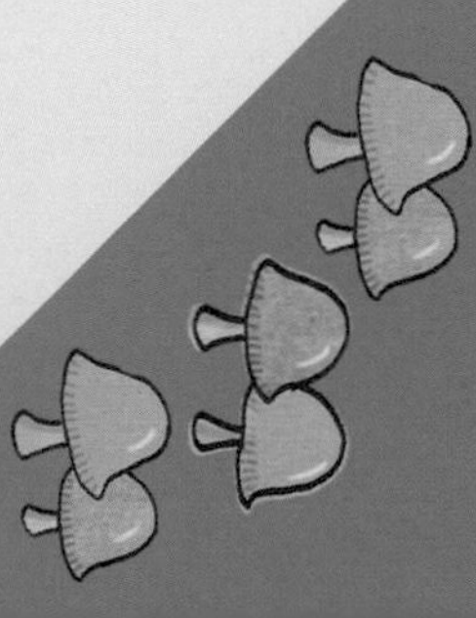

你知道嗎？

向日葵可以長得
像樹一樣高。
記錄中最高的向日葵
將近十公尺高！

*向日葵 Sunflower

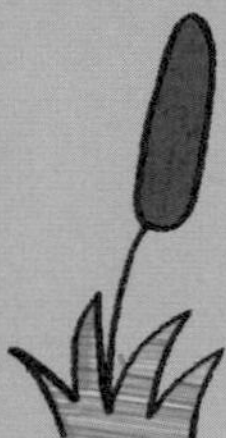

你知道嗎？

冷杉的枝條每年會繞著
樹幹輪生，數一數樹幹
裡的年輪，就能知道
這棵樹有幾歲了。

*冷杉 Fir

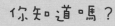

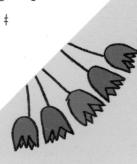

你知道嗎？

孔雀蛺蝶翅膀上的
美麗斑點叫做「眼」。
不過，並不是
真正的眼睛！

＊孔雀蛺蝶 Peacock butterfly

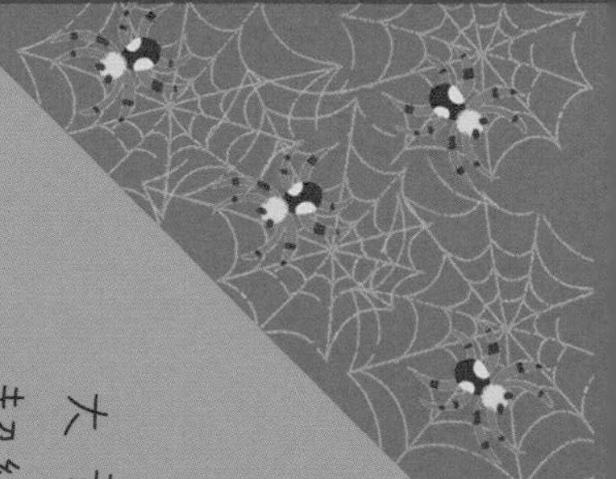

你知道嗎？

瓢蟲看起來很可愛，
可是小心 有時候
牠們會從足部關節
噴出臭臭的液體！

＊瓢蟲 Ladybird

你知道嗎？

大黃蜂是花園裡的
超級英雄。牠們在
植物間傳遞花粉，
幫助水果、蔬菜
跟其他植物生長。

＊熊蜂 Bumblebee

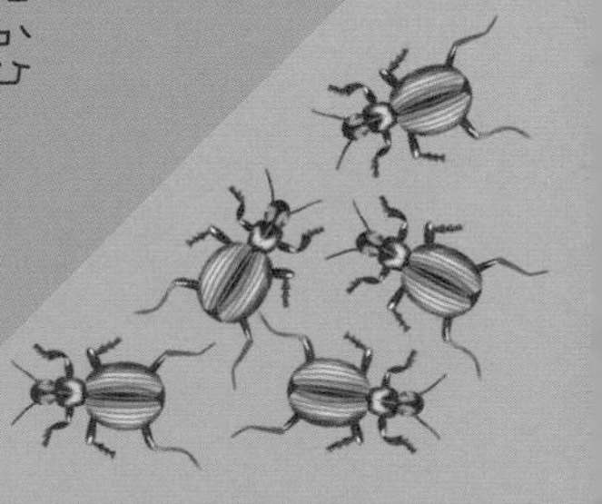

你知道嗎？

毛毛蟲會蛻變成
美麗的蝴蝶或蛾。
你可以從毛毛蟲的顏色
看出牠將長成哪一類的
蝴蝶或蛾。

＊毛毛蟲 Caterpillar

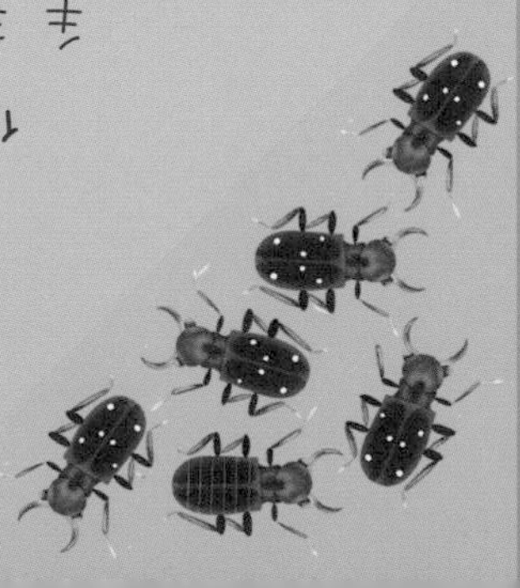
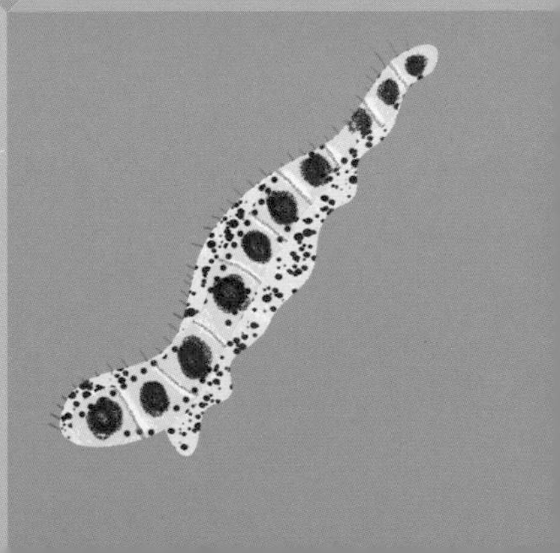

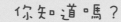

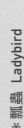

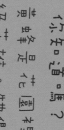

你知道嗎？

蜻蜓的眼睛鼓鼓的，

又大又圓——找起

好吃的蟲子會更方便！

*蜻蜓 Dragonfly

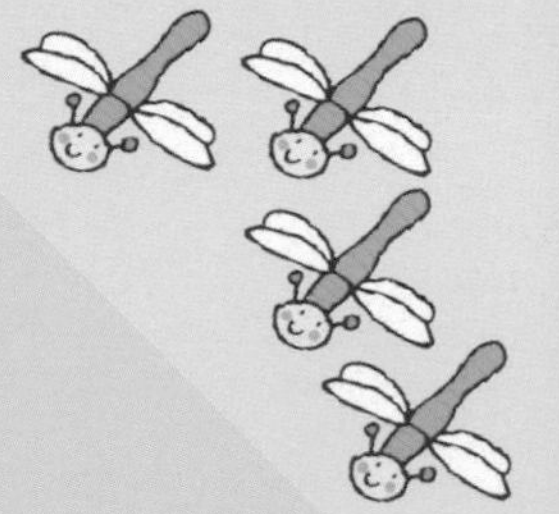

你知道嗎？

姬紅蛺蝶之所以叫

這個名字，是因為大家

覺得牠們看起來就像是

化了濃妝的女士！

*姬紅蛺蝶 Painted lady butterfly

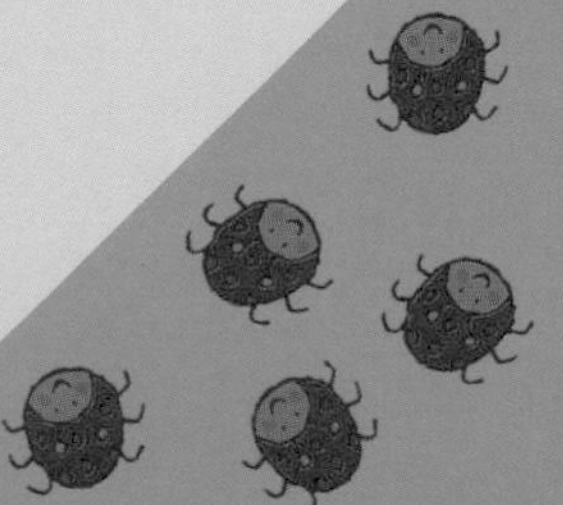
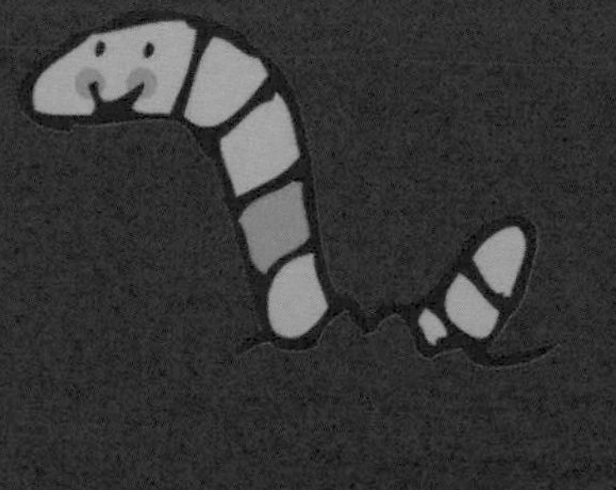

你知道嗎？

蚯蚓是少數幾種

雌雄同體的動物之一！

*蚯蚓 Earthworm

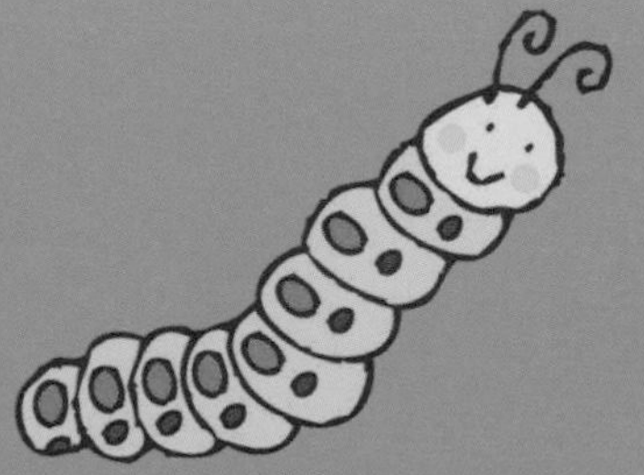
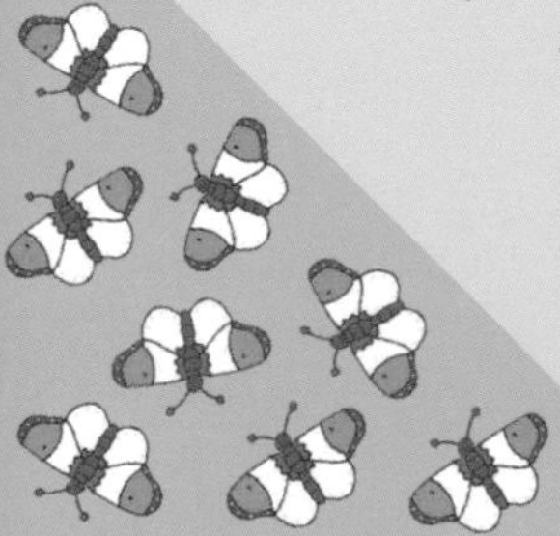
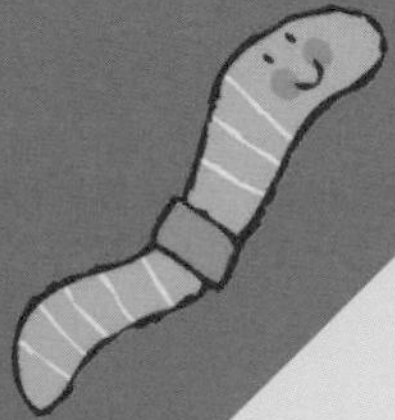

你知道嗎？

毛毛蟲是靠自己

啃破卵殼才能孵化出來，

如此也讓牠長得又大又壯。

*毛毛蟲 Caterpillar

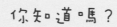

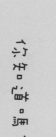

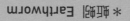

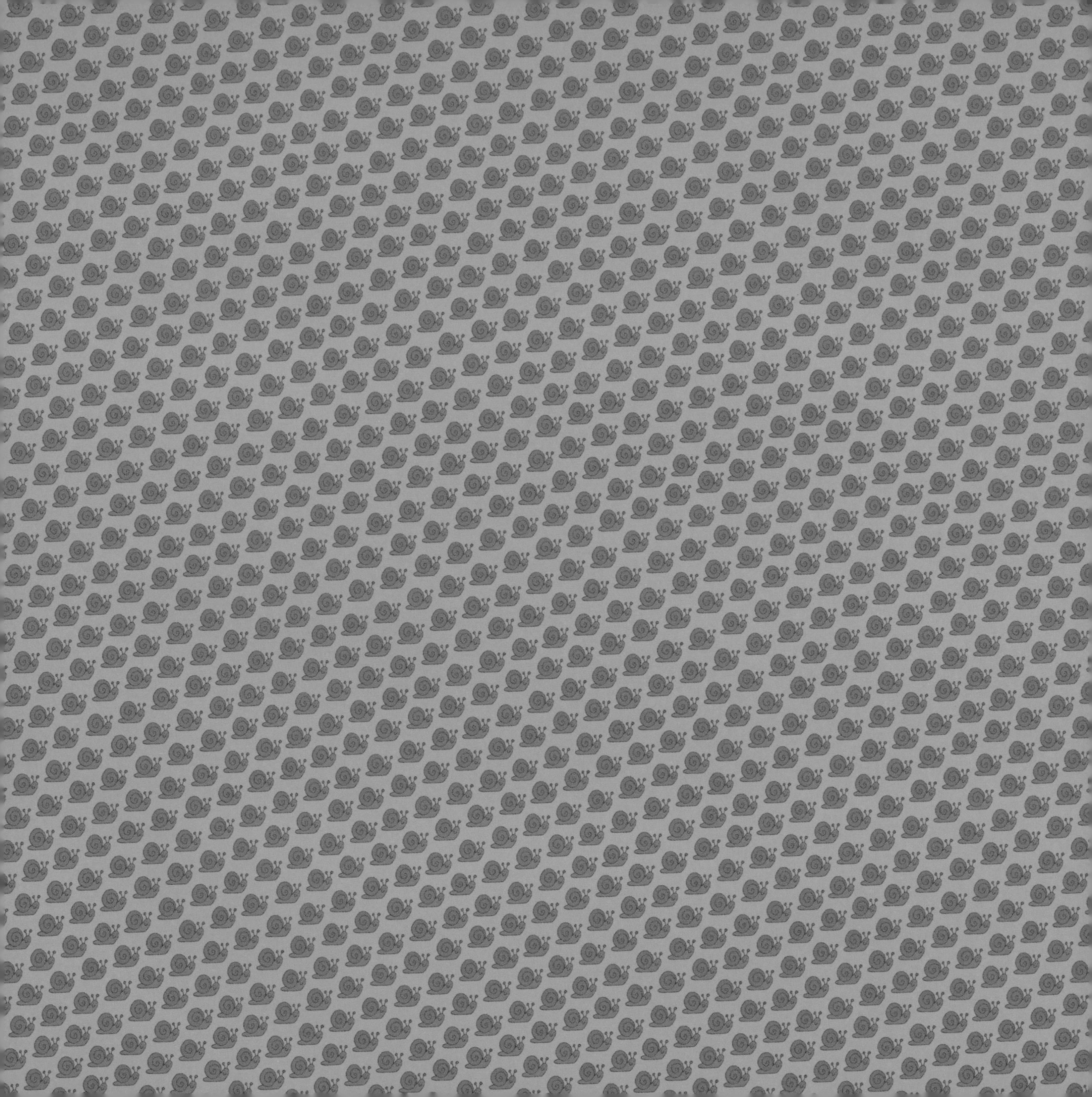

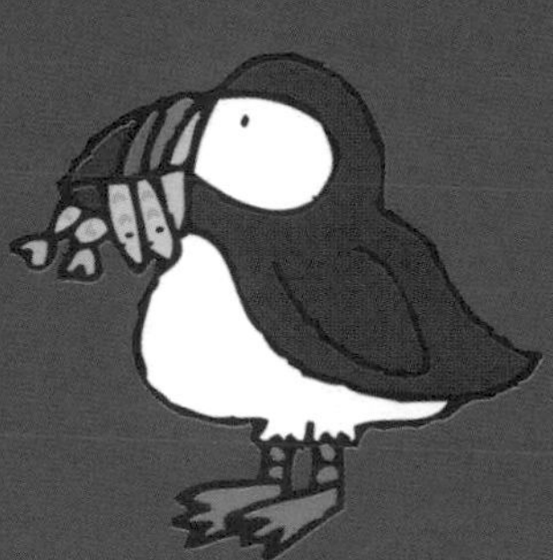

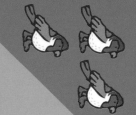

你知道嗎？

天鵝寶寶的羽毛是灰色或褐色的，因此有些人會把天鵝寶寶誤認成醜小鴨！

＊天鵝寶寶 Cygnet

你知道嗎？

海鸚喜歡吃魚，當牠們發現水中有可口的魚游過，就會潛進水裡，用嘴捕魚。

＊海鸚 Puffin

你知道嗎？

雄綠頭鴨只能發出低沉的嘎嘎聲——牠們把響亮大聲的特徵留給了雌鴨！

＊綠頭鴨 Mallard

你知道嗎？

黑背鷗喝海水時，會用眼睛的特殊腺體把鹽分萃取出來，這樣就不會脫水了。真聰明！

＊黑背鷗 Herring gull

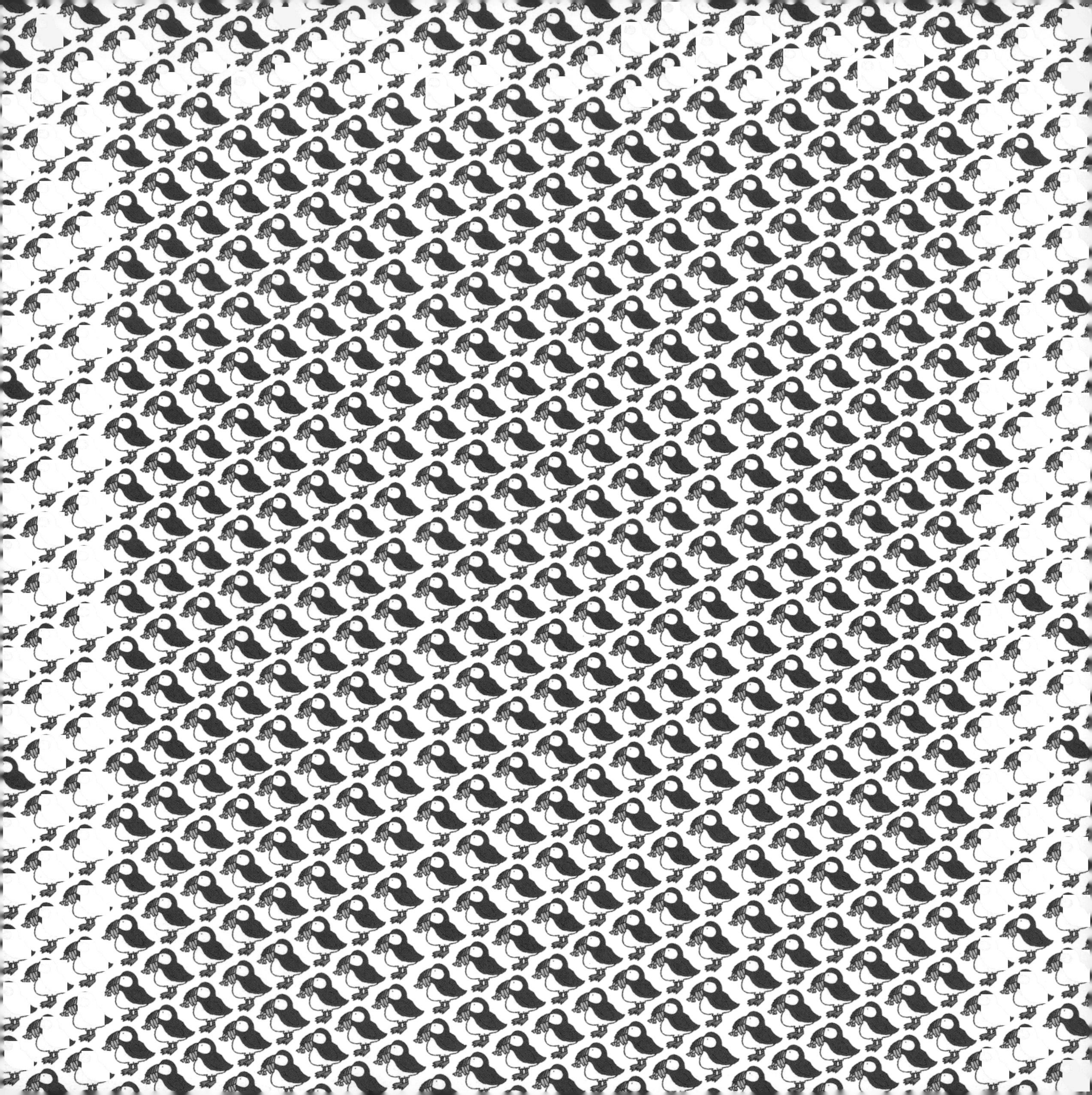

你知道嗎？
蒼鷺是用腳趾來梳理羽毛的，牠們總不能用翅膀拿梳子吧？

*蒼鷺 Heron

你知道嗎？
你可以從嘴喙分辨出翠鳥的雌鳥和雄鳥，雌翠鳥的喙下緣有一抹橘色。

*翠鳥 Kingfisher

你知道嗎？
喜鵲不會在冬天時遷徙。很少有喜鵲會飛離出生地點超過十公里。

*喜鵲 Magpie

你知道嗎？
在城市裡很容易見到的野鴿，跟象徵希望與和平的白鴿屬於同一科。

*野鴿 Feral pigeon

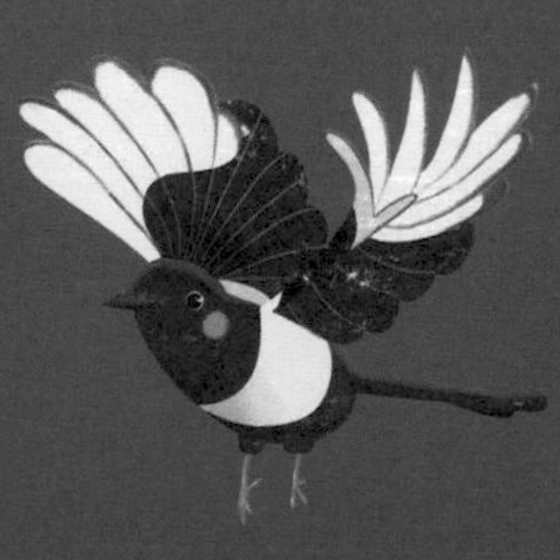

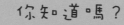

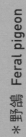

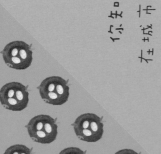

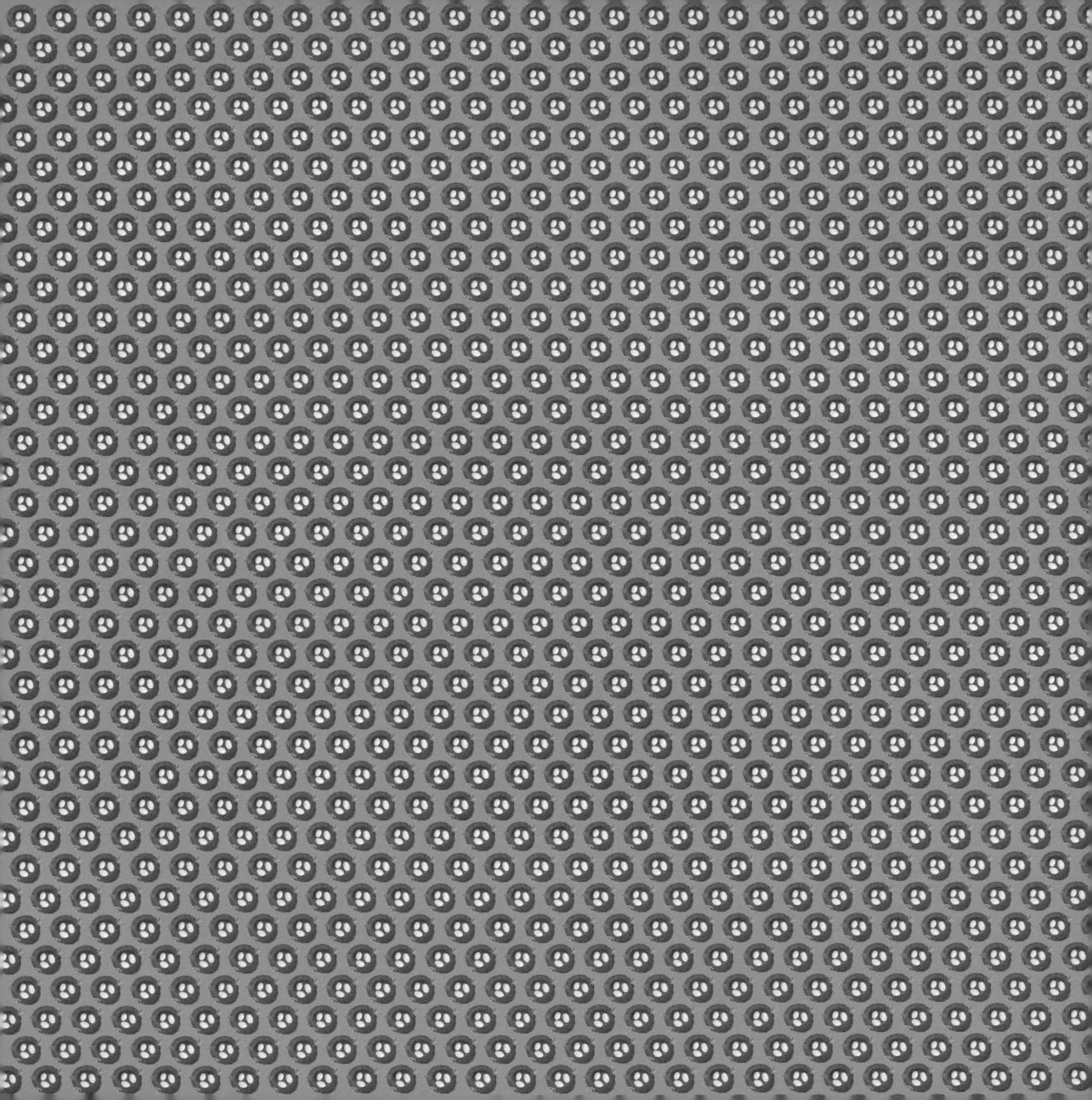

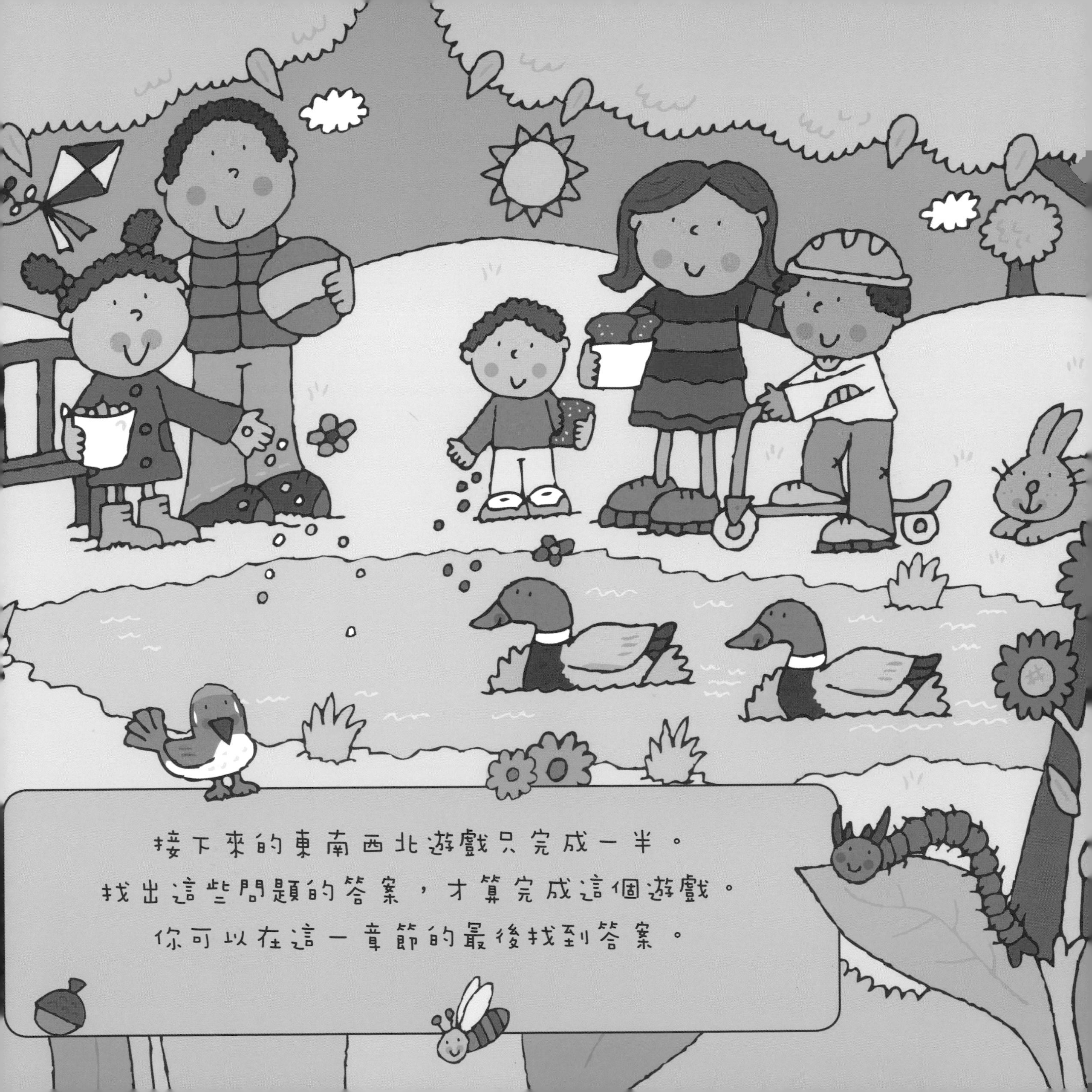

接下來的東南西北遊戲只完成一半。

找出這些問題的答案，才算完成這個遊戲。

你可以在這一章節的最後找到答案。

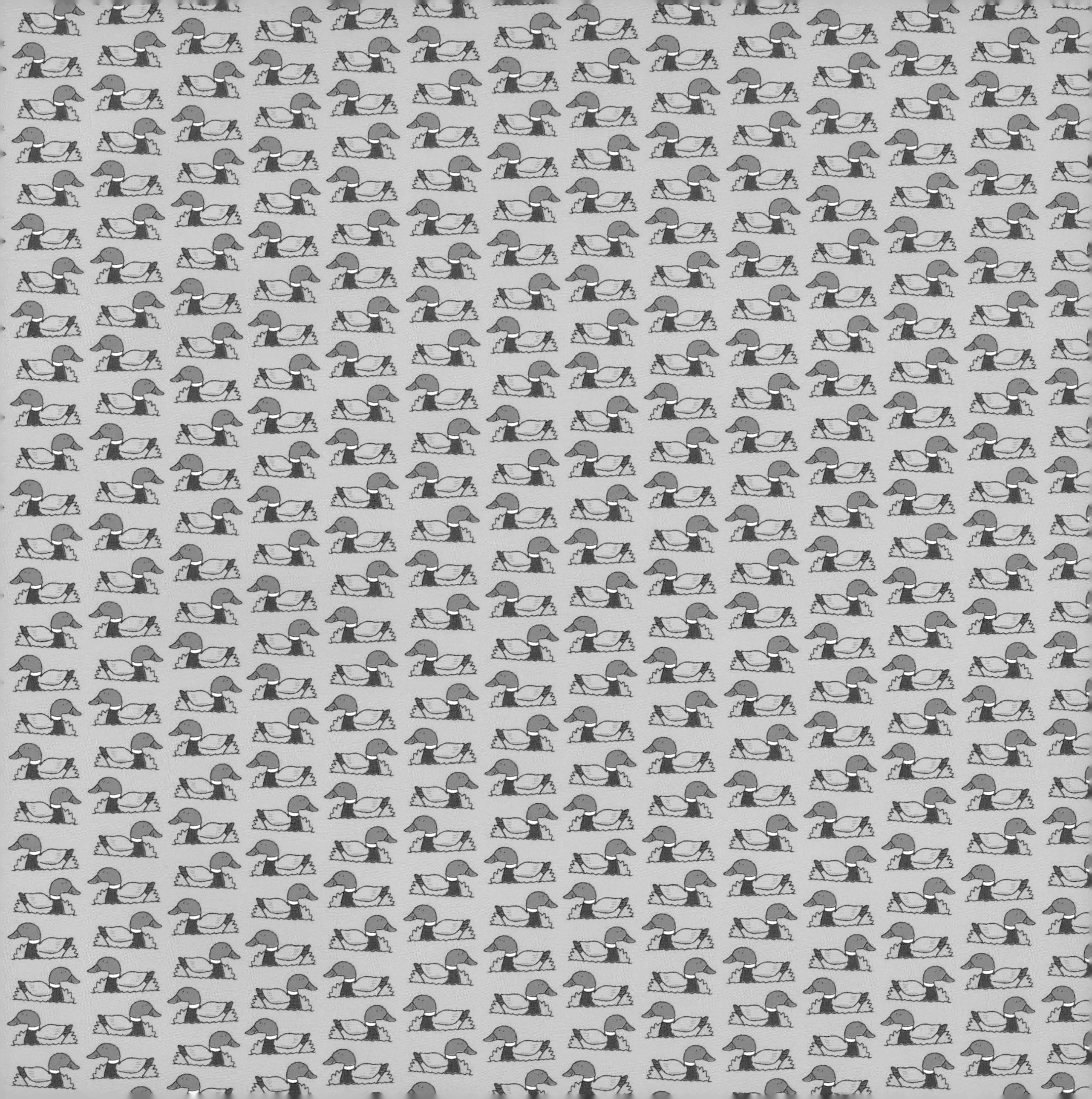

1
什麼鳥的腦袋
可以轉270度？
2
什麼鳥在冬天時
會鼓起牠的紅色胸脯
以保持溫暖？
3
最大的飛鳥群
是什麼鳥呢？
4
小鳥做巢時，
將材料「黏」在一起
的方式各有不同，
你可以想出幾種呢？

5

為什麼不常聽到
大斑啄木鳥唱歌？

＊大斑啄木鳥 Great spotted woodpecker

6

有一首英語
耶誕歌曲的歌詞裡
有出現斑鳩，你知道
那首歌的名字嗎？

＊斑鳩 Turtle dove

7

你能想到幾首歌名裡
有鳥類的名字嗎？

8

交配季節時，
青山雀的雄雀會卯足
全力贏得雌雀的芳心。
你覺得牠們會怎麼表現？

＊青山雀 Blue tit

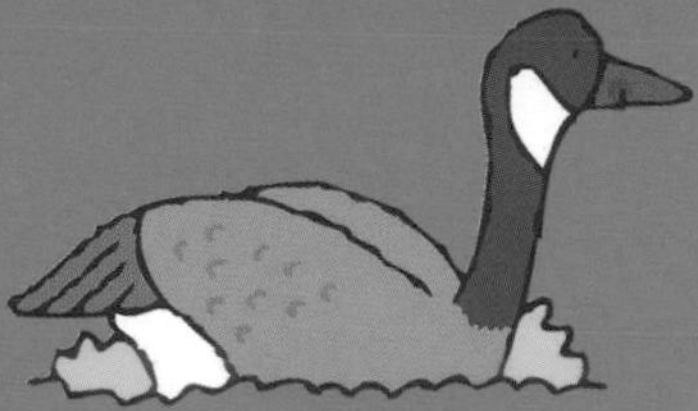
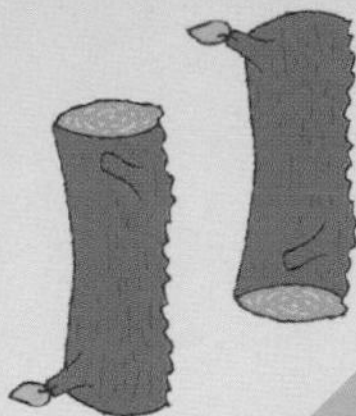

9

野雁可以適應
多種不同的野外棲息地，
但是在哪裡最容易發現牠們？

＊野雁 Wild Goose

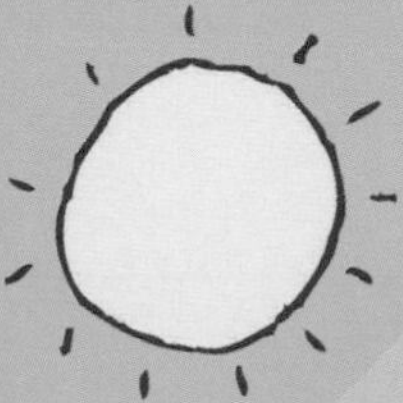

12

麻雀的羽毛
是什麼顏色？

＊麻雀 Sparrow

10

紅冠水雞的
羽毛是什麼顏色？
喙又是什麼顏色？

＊紅冠水雞 Moorhen

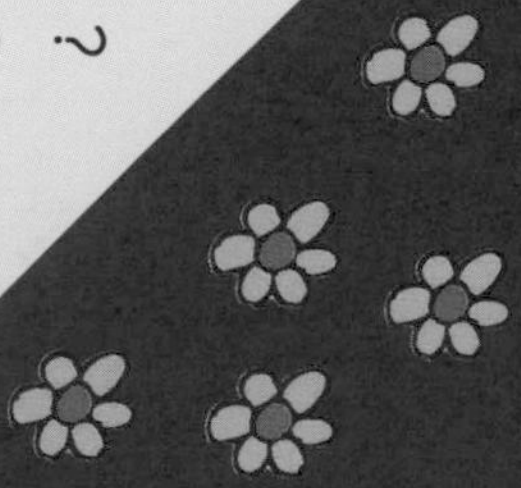

11

什麼鳥身上同時
有黑色和橘色呢？

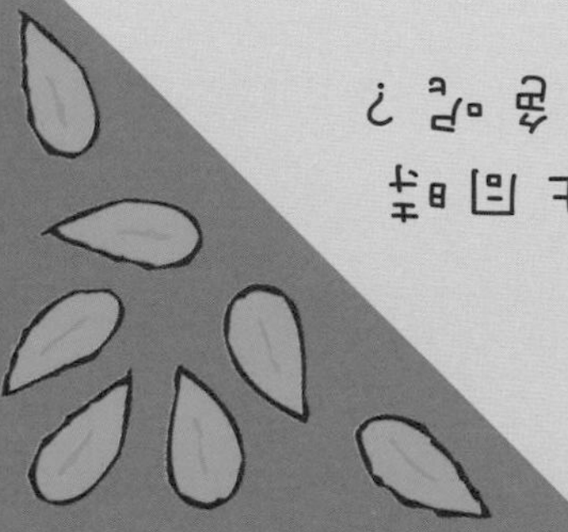

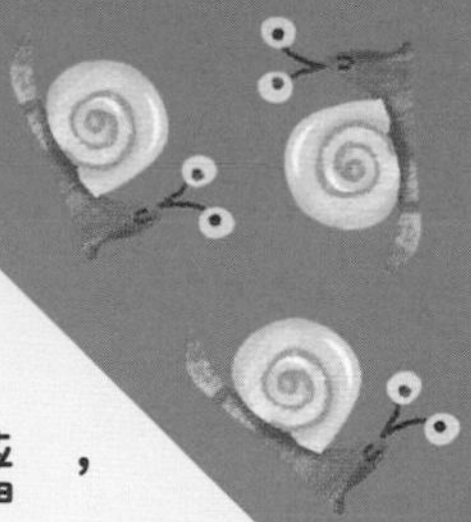

13

有一種小小
哺乳類平時都倒掛著，
天黑才出來活動。
你知道是什麼嗎？

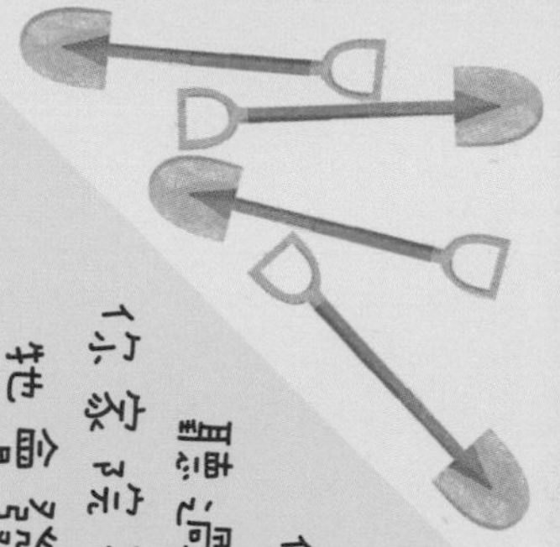

14

你有沒有
聽過刺蝟晚上在
你家院子裡悄悄活動？
牠會發出什麼聲音？

＊刺蝟 Hedgehog

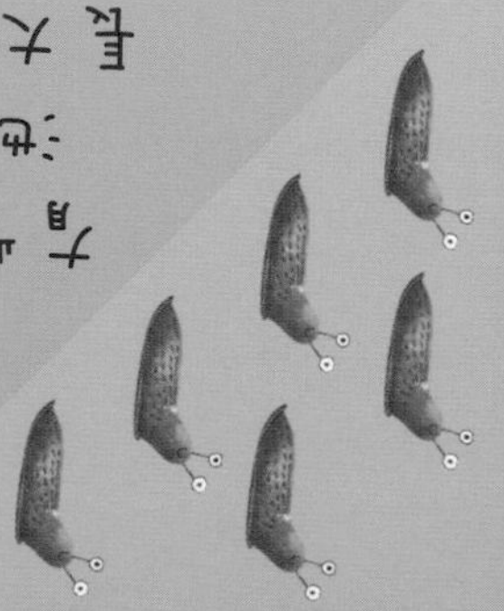

15

有些小不點生活在
池塘和河流裡，
長大後會蛻變成蛙。
牠們叫什麼？

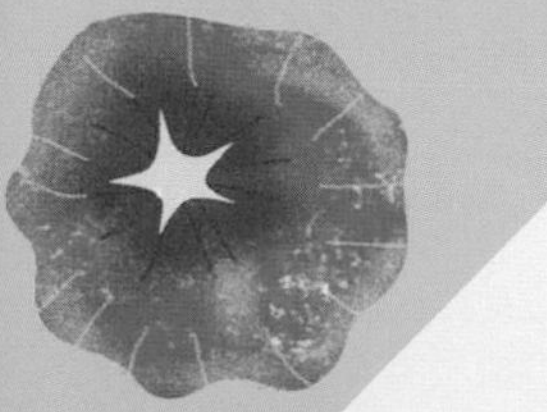

16

雌兔的英文是
「Doe」，你可以
查出雄兔的英文嗎？

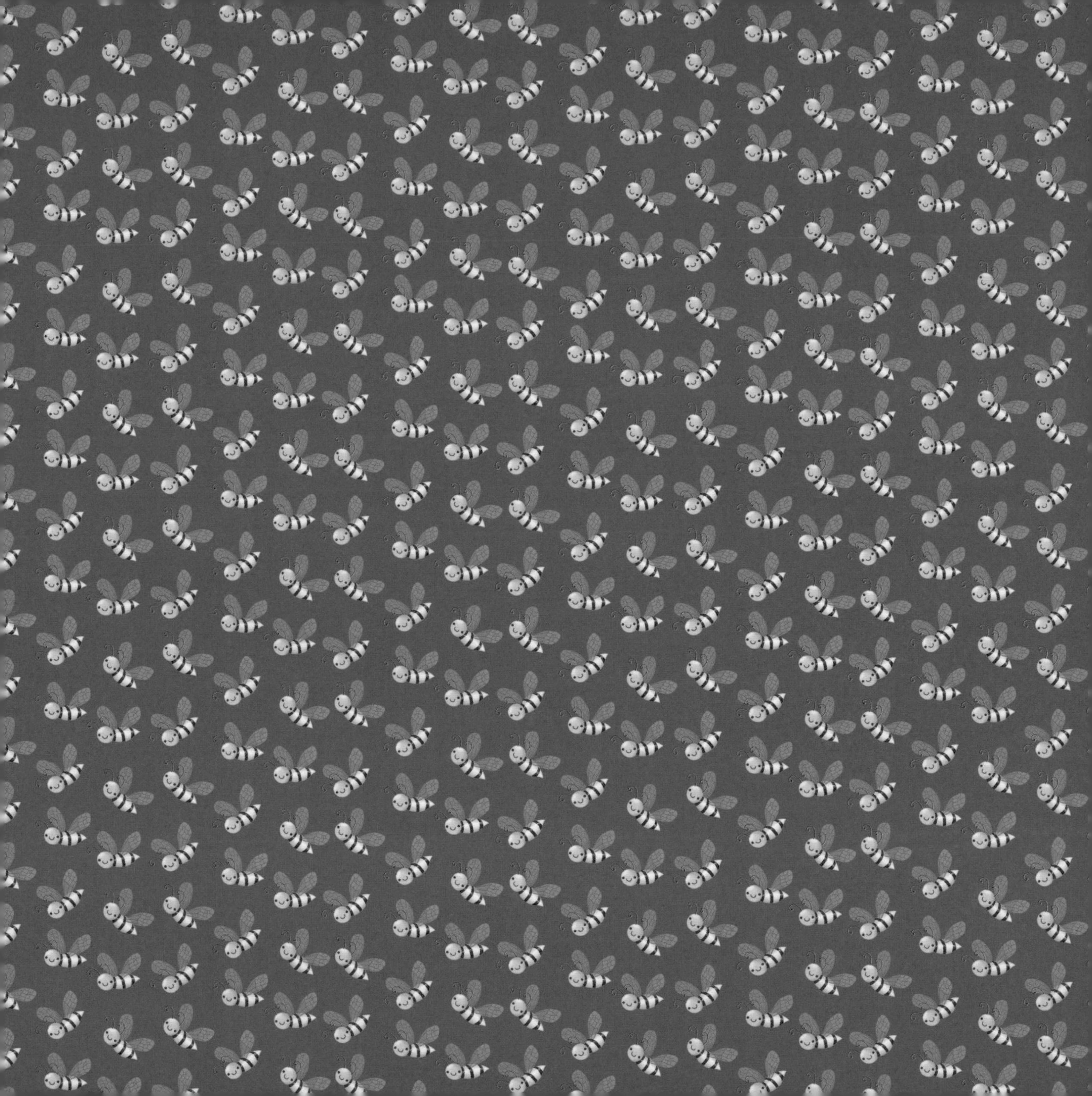

17

紅松鼠的手指
比腳趾多，你猜
牠們有幾根手指？

＊紅松鼠 Red squirrel

18

獾寶寶跟獅寶寶
的英文說法一樣，
是叫什麼呢？

20

兔子會踏步、
跳躍而且跑得飛快，
牠們身上最強健的
是哪個部位？

＊兔子 Rabbit

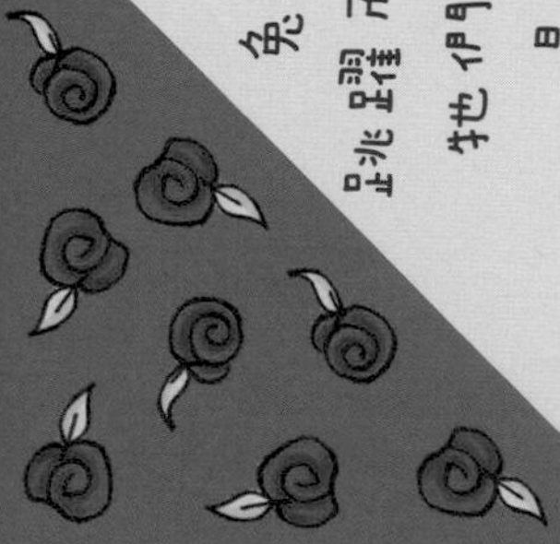

19

老鼠可以鑽過
小得不得了的洞口，
牠們怎麼判斷自己
鑽不鑽得過去？

＊老鼠 Mouse

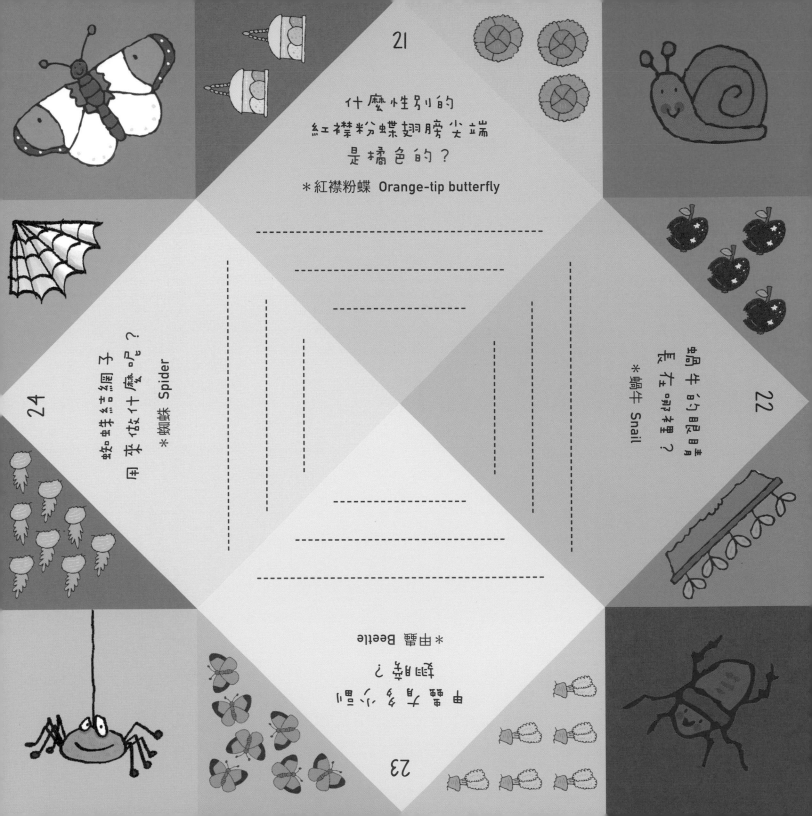

21

什麼性別的
紅襟粉蝶翅膀尖端
是橘色的？

＊紅襟粉蝶 Orange-tip butterfly

22

蝸牛的眼睛
長在哪裡？

＊蝸牛 Snail

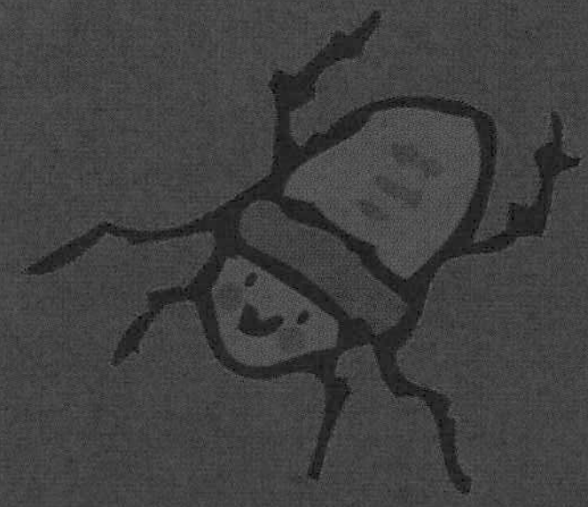

23

甲蟲有多少個
翅膀？

＊甲蟲 Beetle

24

蜘蛛結網子
用來做什麼呢？

＊蜘蛛 Spider

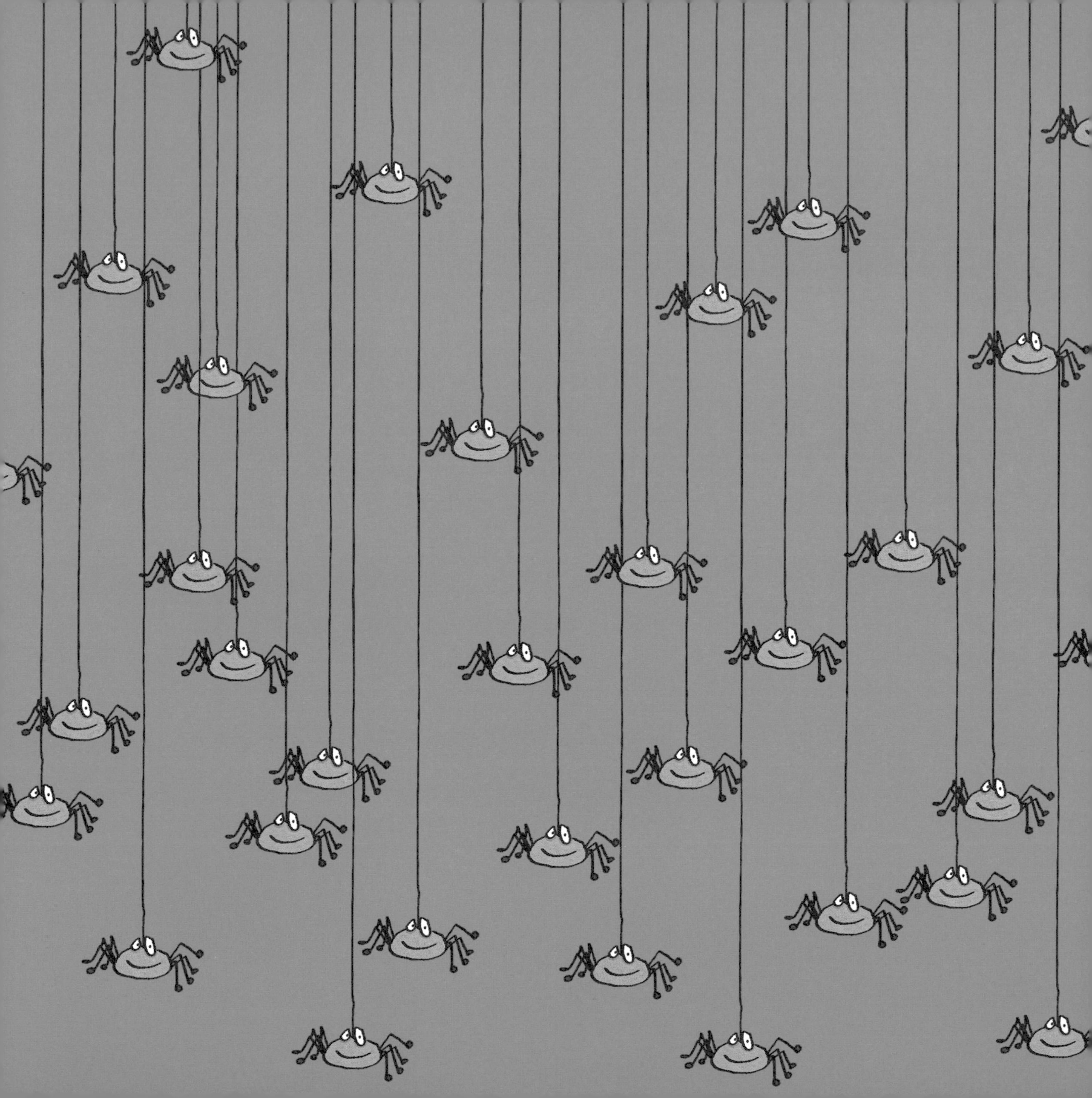

25

為什麼蛞蝓
走過的地方會
留下一道黏液？

*蛞蝓 Slug

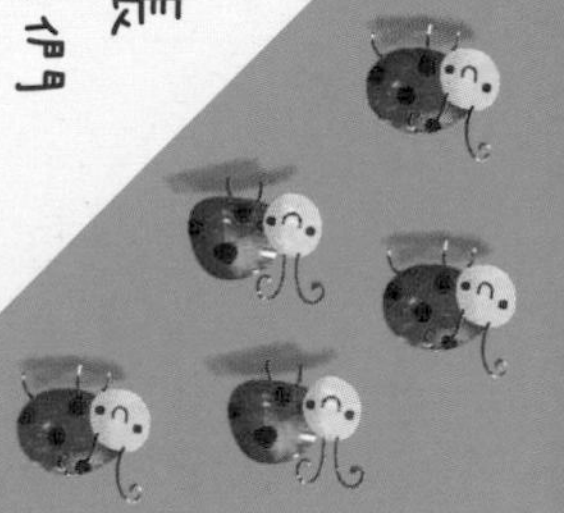

26

主教蜘蛛可以長
得很大。猜猜牠們
的腿可以有多長？

*主教蜘蛛 Cardinal spider

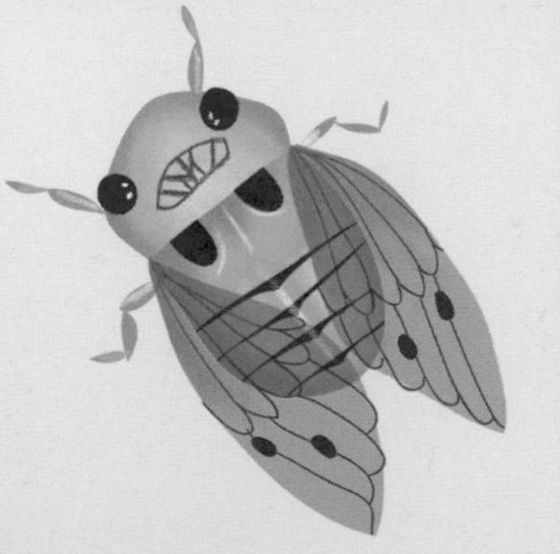

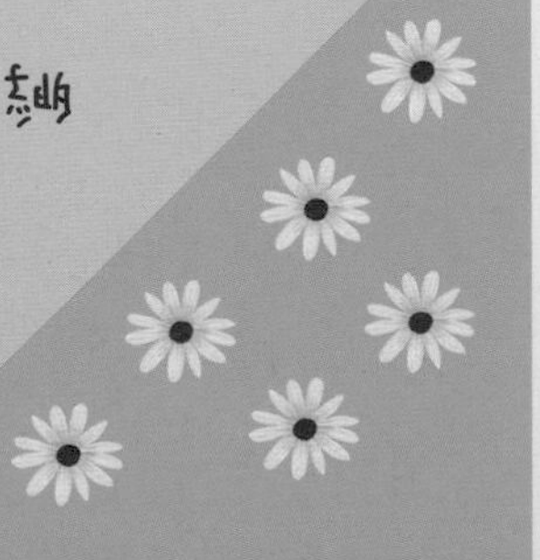

27

從蒼蠅卵裡
孵化出來的幼蟲
叫什麼？

*蒼蠅 Fly

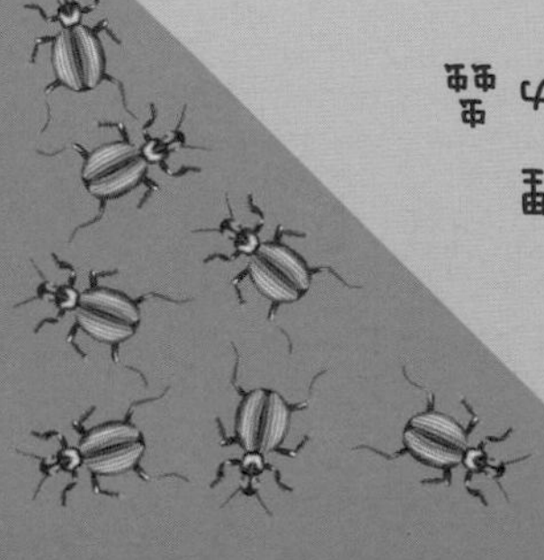

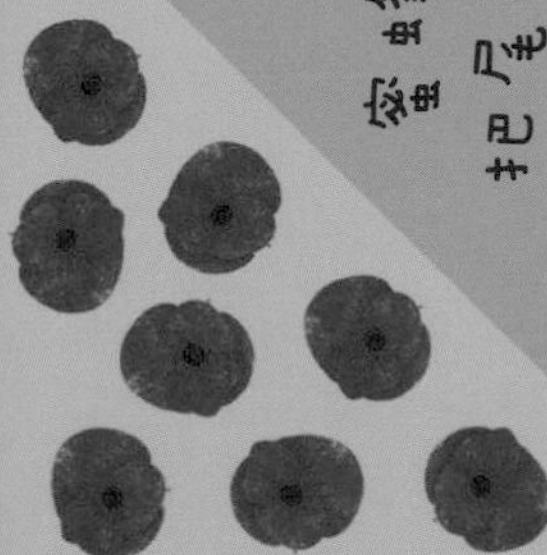

28

蜜蜂如果螫了人，
把尾刺留在人的身體
之後，牠們會怎樣？

*蜜蜂 Bee

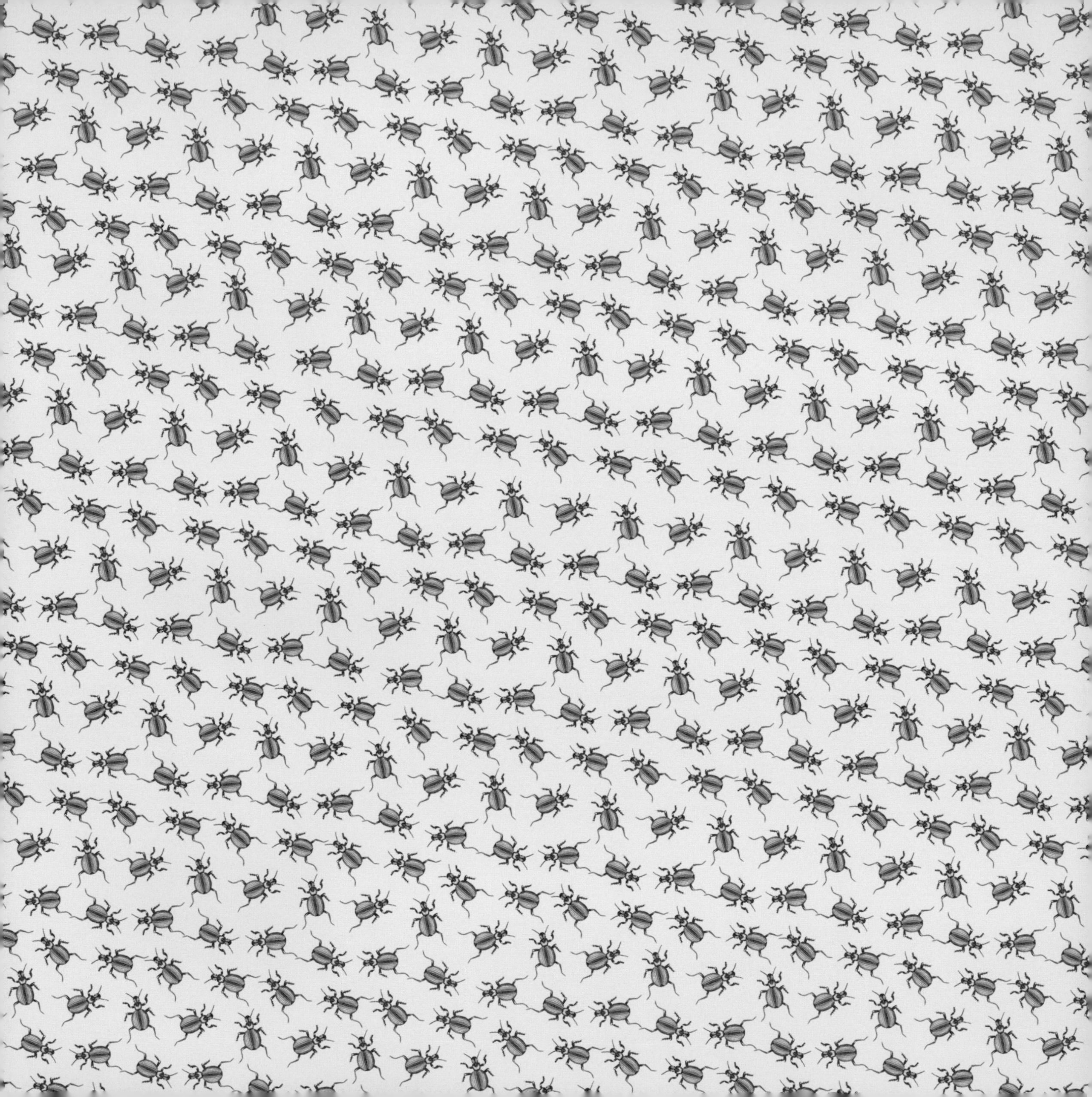

29

有一幅世界名畫
以向日葵為主題，
你知道是哪位畫家畫的嗎？

*向日葵 Sunflower

30

有些樹木會長出
可口的水果給我們吃。
說說看有哪些水果
長在樹上。

31

想一想，
有哪些花是以
動物命名的呢？

32

勿忘草這種花
是什麼顏色？

*勿忘草 Forget-me-not

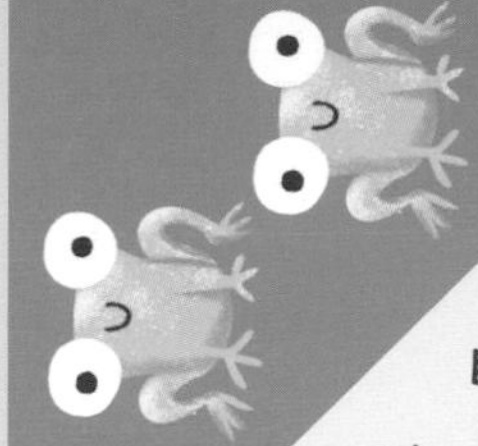

33

像星星的
睡蓮漂浮在池塘和
湖面上。在故事書裡，
它們很適合給哪種小動物休息？

＊睡蓮 Water lily

34

雪花蓮是一種
細緻的小白花，
它們生長在哪裡？

＊雪花蓮 Snowdrop

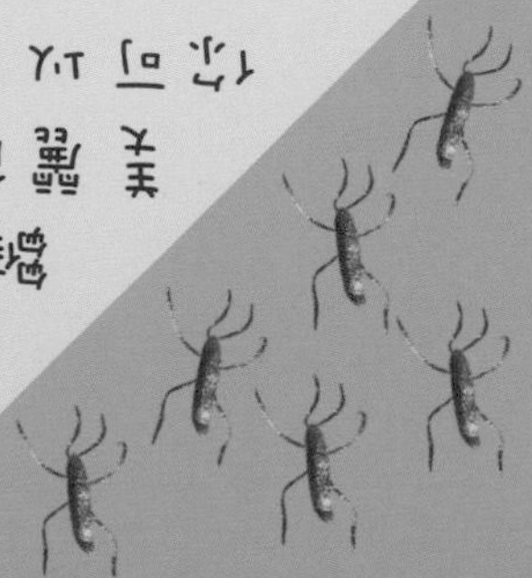

35

雛菊可以做成
美麗的項鍊和手環。
你可以串起幾朵雛菊嗎？

＊雛菊 Daisy

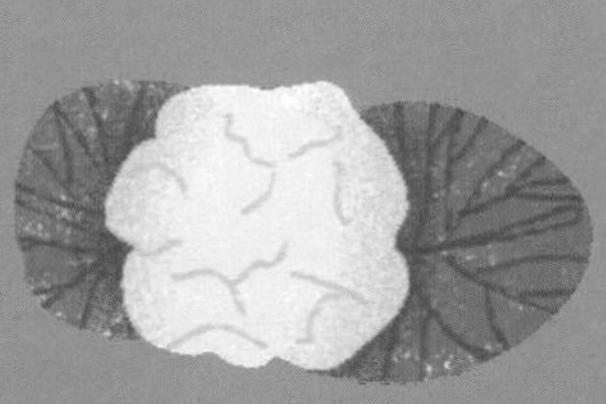

36

當蒲公英的
白色絨球被吹散時，
蒲公英種子最遠
可以飄多遠？

＊蒲公英 Dandelion

解答

1. 貓頭鷹　Owl
2. 知更鳥　Robin
3. 天鵝　Swan
4. 牠們會用各式各樣的材料，像是蜘蛛網，甚至自己的唾液！

5. 大斑啄木鳥靠著敲擊樹木來溝通。
6. 聖誕節的十二天　12 Days of Christmas
7. 蝸牛與黃鸝鳥、布穀鳥、我是隻小小鳥、稻草裡的火雞、老鷹抓小雞、大公雞、老烏鴉、白鷺鷥等。
8. 通常雄青山雀會對著情人唱歌；雌鳥則根據雄鳥羽毛有多藍來選擇配偶。

9. 牠們是水鳥——你可以在池塘、湖泊和河邊找到。
10. 紅冠水雞的羽毛有黑色、棕色和白色，喙是紅色和黃色。
11. 翠鳥　Kingfisher
12. 棕色、黑色、白色和灰色

13. 蝙蝠　Bat
14. 牠們會「啁啾」，聽起來有點像吱吱叫。牠們也會嗅聞並大口吃掉東西。
15. 蝌蚪　Tadpole
16. Buck

17. 每隻手各四根手指。
18. Cub
19. 牠們用觸鬚測量。
20. 後腿。

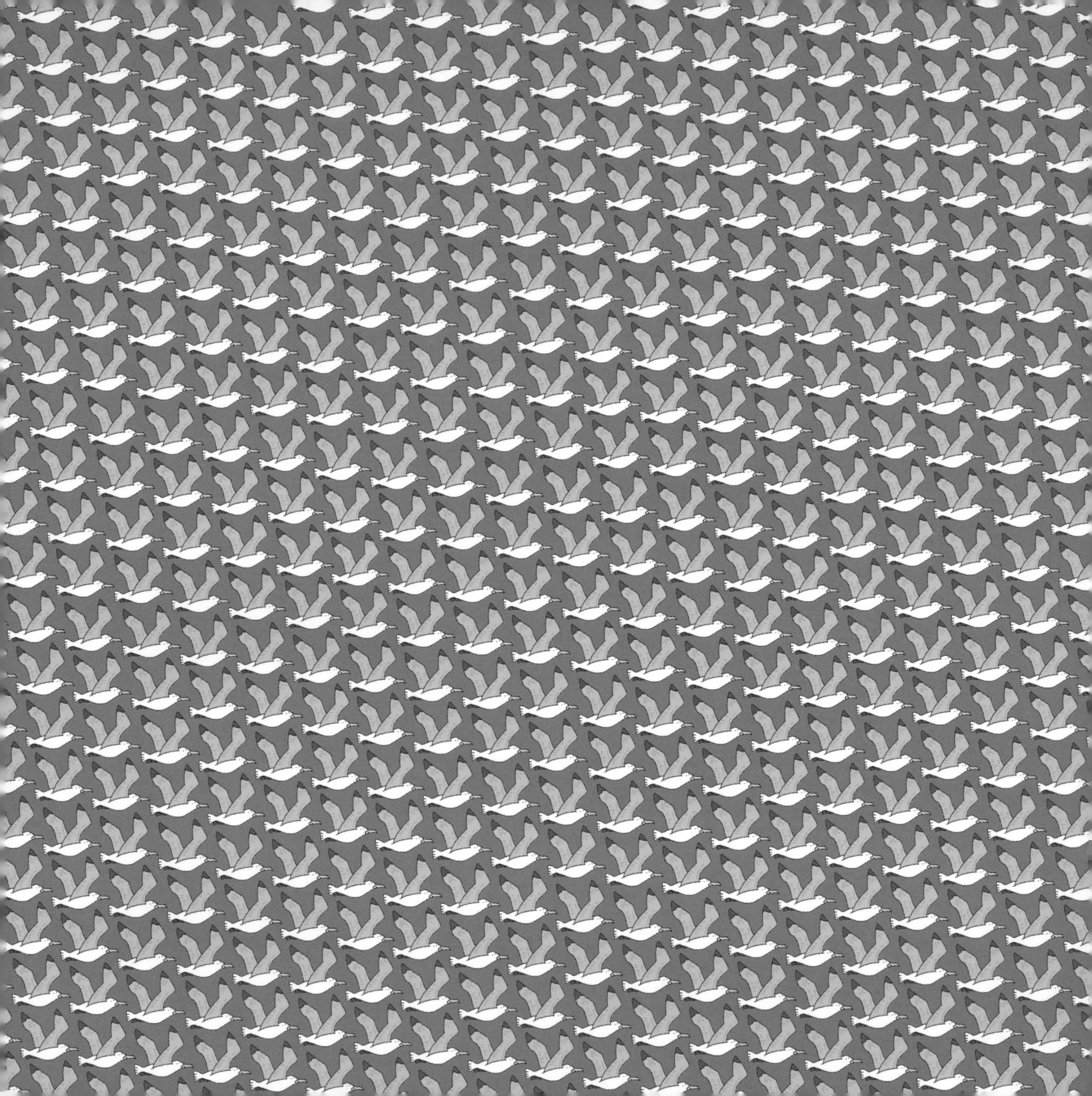

解答

21. 雄性。
22. 在觸角末端。
23. 二。
24. 為了捕捉食物。

25. 這樣牠們就能找到路回家。
26. 可以到十四公分長。
27. 蛆 Maggot
28. 牠們會死掉。

29. 文生・梵谷 Vincent Van Gogh
30. 梨子、蘋果、李子、柳橙、檸檬、萊姆、桃子、無花果、木瓜、芒果、櫻桃、杏桃、石榴、桃子、葡萄柚……這裡只列出其中幾種！
31. 牽牛花、蝴蝶蘭、鼠尾草、天堂鳥、馬蹄蓮、鴨跖草、鳳眼藍、馬鞭草、金魚草、孔雀草、雞蛋花、火鶴花、馬纓丹等。
32. 藍色和白色，種子是黃色的。

33. 蛙 Frog
34. 它們通常長在潮濕的樹木和森林。
35. 動手做做看，寫下你自己的答案。
36. 最遠可以飄到一公里以外。

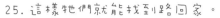

最後這幾頁東南西北遊戲是空白的，
請以你喜愛的動植物為主題，
在格子裡寫下你所知道的奇妙小知識。

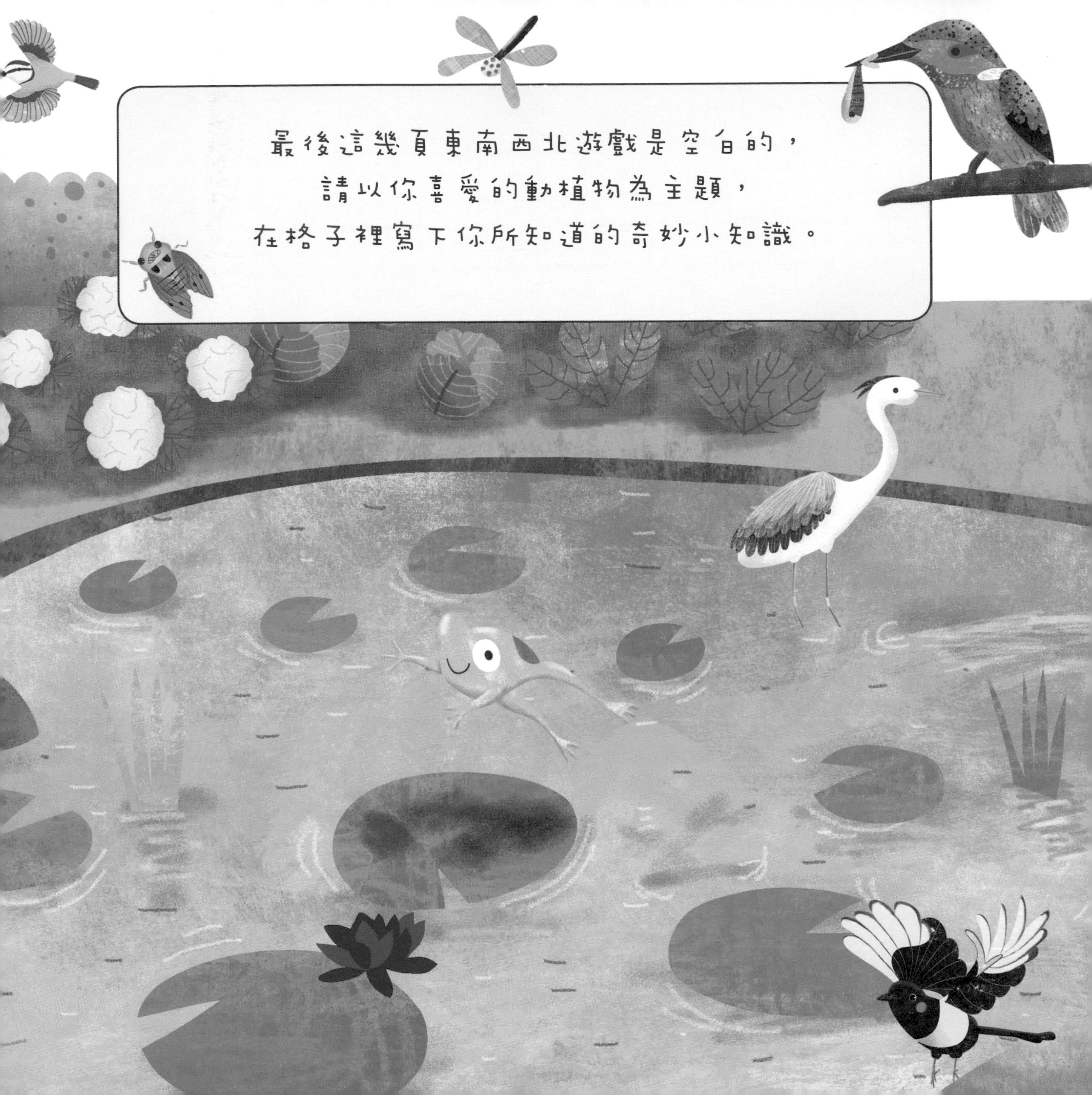

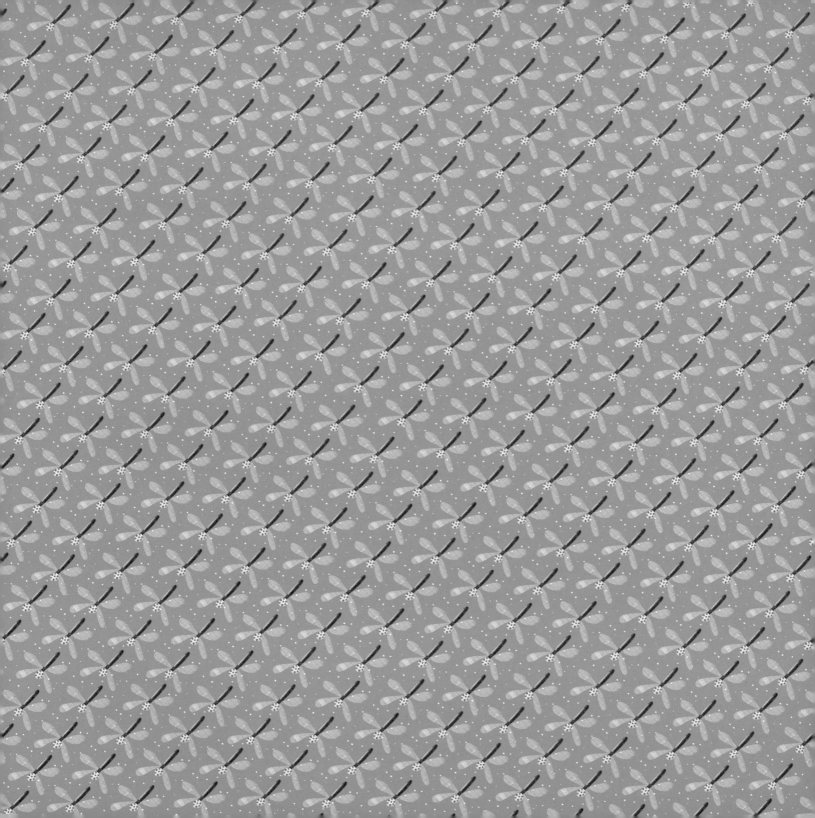

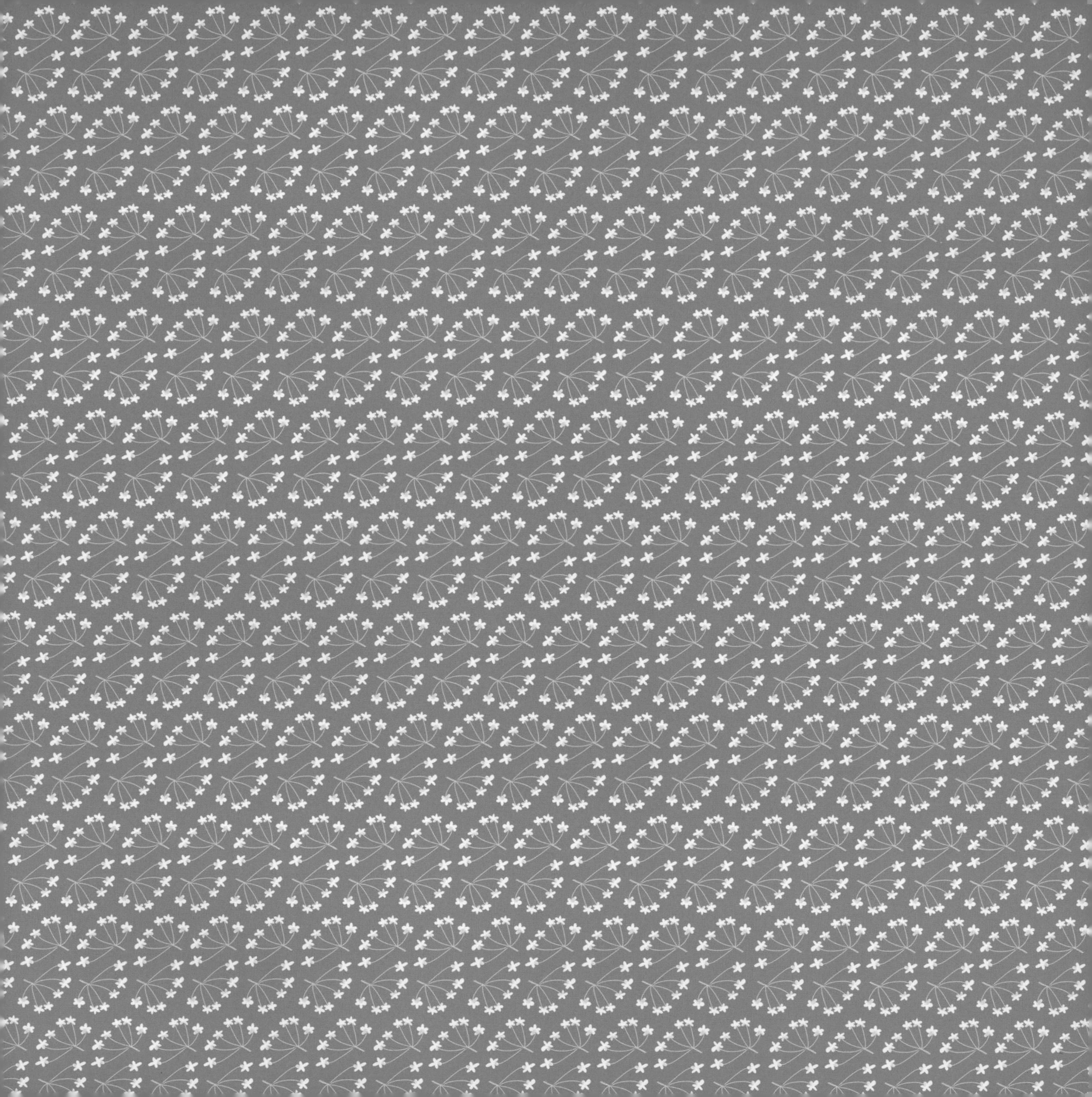